bicho bolita

La niña y la gata
Colección **Bicho bolita**

Primera Edición

comunicarte

Ituzaingó 167 • Séptimo piso
X 5000 IJC - Córdoba, Argentina
Tel/fax: (54) (351) 426-4430
editorial@comunicarteweb.com.ar
www.comunicarteweb.com.ar

Dirección editorial: Karina Fraccarolli
Dirección de colección: Carolina Rossi
Producción: Marcelo De Monte
Diseño: Ivana Myszkoroski

ISBN: 978-987-602-043-5 (cartoné)
ISBN: 978-987-602-046-6 (rústica)

Queda hecho el depósito que establece la Ley 11.723.
Impreso en Uruguay - *Printed in Uruguay*

Impreso en Pressur Corporation S.A. Colonia Suiza - Uruguay - (5411) 4384-5955

Lardone, Lilia
La niña y la gata / Lilia Lardone ; ilustrado por Claudia Legnazzi - 1a ed. - Córdoba : Comunic-Arte, 2007.
28 p. : il. ; 24x24 cm. (Bicho Bolita dirigida por Carolina Rossi)

ISBN 978-987-602-043-5 (cartoné)
ISBN 978-987-602-046-6 (rústica)

1. Narrativa Infantil Argentina. I. Legnazzi, Claudia, ilus. II. Título
CDD A863.928 2

La niña y la gata

Lilia Lardone • Claudia Legnazzi

comunicarte | infantil

la niña
la gata

pasitos de dos
pasitos de cuatro

pasan una y otra vez
por el pasillo
dan su caminata

pies
patas
corren la niña y la gata

fum m m m m   m   m
(¿dónde están?)

Humi
ronronea
rrrrrrrrrrrrrrrrrrrrrrrrrrrrrrrrr

Julia
carcajea
ji jí ji jí jiiiiiiiiiiiiiiiiiiiiiiiiii

ese
pan
es
para mí

(sí que sí que sí que sí)

no no no

Humi que no

con esta muñeca

sólo

jue

go

yooooooooooooooo

blanco bigote reblanco

Julia el dedo
e s t i r a r aaaaaaaaaaá
pero Humi no la deja
y se escapa
(por acá)

niña insiste
la persigue
gata huye
cruza
y
sigue

—*¡Cuidadito con la calle!*
(Julia dice a su mamá)

Humi duerme en su canasta
Julia la quiere tocar
despacito
se le arrima:

sueño de gata
t o t a l

Julia insiste
zapatea
mucho ruido
todo igual

el ovillo
blanco y negro
cola y patas
junta más

gata en su mundo de gata:

sueño de gata
t o t a l

Julia duerme
Humi salta
(nada más)

y al momento se detiene
su bigote
m u e v e
al rasssssssssssssss

¿dónde está niña en su sueño?
que despierte / de inmediato

(negra pata / va a rozar)

Julia mira las estrellas
por su ventana brillar
Julia oye de repente
en el techo
agudo miauuuuuuuuuu

—*¿Humi?*

(llama despacito)

—*Hummiiiiiiiiiiiiiiiiiiiiiiiii*

(llama sin cesar)

gata inquieta
no aparece
Julia la espera
y bosteza

(pronto vendrá)

pan con dulce de ciruela
sobre la mesa está
un rico pan para Julia

(lo preparó su mamá)

pan que Humi lame
y
lame

con esa lengua voraz
hasta que la niña dice:

—*¡Bueno, Humi, basta ya!*

—*Mío*.

le grita la niña.
Humi que salta
y se va.
Julia llora
por su ovillo

revoltijo
rojo y zas.

¿quién da consuelo
a la niña?
¿quién podría?

(de verdad…)

entre las flores el vuelo
de la mariposa
gira en círculo
y se posa

Humi salta y no la atrapa
Humi insiste en alcanzar
mariposa entre las flores
muy altas del azahar

ma ri po sa

de momento
ya no
más.

patitas
patean
piedritas
y
perlassssss

(por el piso rojo)

—*¡No! ¡Humi, no!*

Julia
la reprende
se enoja
la sigue…

(y aún faltan cuentas
para su collar)

Julia dice a su muñeca
que en un ratito vendrá
a cambiarle esa blusa
por otra de navidad

pero la blusa
ha perdido
Julia llora
y su mamá
se la encuentra
hecha jirones

—*Humi*
no
te
quiero
más.

Humi i i i i   i

michi i i i i   i

calla el sol
el pasto es verde
las hojas, puro esplendor
una flecha se aparece

aquí allá

Julia grita entre las plantas
toca y mira
mira más
tormenta blanca y negra
pronto vendrá

blanca y negra
y movediza

(para jugar)

suave piel
la de la niña
pata blanca tocará

suave lomo

el de la gata
que Julia acariciará

gata y niña / niña y gata
las dos
un mismo temblar

un mismo temblar

Soy Julia Lardone y vivo en Córdoba, ciudad donde nací. Me gusta leer, escribir,
charlar con amigos, hacer dulce de uvas, ir al cine… Pero lo que más me gusta
es estar con mis nietos Julia y Benjamín.
Los poemas del libro se me ocurrieron mientras Julia jugaba con Humi, la gata que vive en casa.
La niña quería alzarla y la gata escapaba. Al ratito volvía, y así durante horas.
A veces también escribo cuentos, para chicos y para grandes. Algunos están publicados:
Los Picucos, *Los Asesinos de la Calle Lafinur*, *Caballero Negro*, *El nombre de José*…
Cuando me pidieron una foto para poner acá, enseguida pensé en esta. Humi no aparece porque
es una gata que, como todo el mundo sabe, hace lo que quiere.
Así que a ella imagínensela, por favor. Es preciosa.

Soy , nací en 1956. Estudié en la Escuela Nacional de Bellas Artes
Prilidiano Pueyrredón y desde 1985 me dedico a la ilustración de literatura infantil.
En 1993 me radiqué en México, donde ilustré libros para importantes editoriales.
Hace tres años volví nuevamente a la Argentina donde he ilustrado historias de diferentes autores
y también escribo e ilustro mis propios libros, por los cuales he recibido los siguientes premios:
Gran Premio del Concurso NOMA de ilustraciones de libro del Centro Cultural Asia/Pacífico
de la UNESCO por el libro *Yo tengo una casa*.
Primer Premio del Certamen Internacional de Libro Ilustrado otorgado por el Consejo Nacional
de la Cultura y las Artes (CONACULTA) por el libro *El mar de Ana*.
Mención Especial del Jurado del Primer Certamen de Álbum Infantil Ilustrado
Ciudad de Alicante, España, por el libro *Gato gato*.
Mis trabajos fueron adquiridos por el Chihiro Art Museum de Japón
y pertenecen a su colección permanente.

La niña y la gata

Colección Bicho bolita

El camino de la luna
Laura Escudero • Saúl Oscar Rojas

Un barco muy pirata
Gustavo Roldán • Roberto Cubillas

El globo azul
Julia Rossi • Jorge Cuello

Frasco gitano
Ángeles Durini • Gustavo Aimar

La niña y la gata
Lilia Lardone • Claudia Legnazzi

agua *0*
María Teresa Andruetto • Guillermo Daghero